Teotihuacán

El sacrificio de los dioses

Cada determinado tiempo, los dioses
se reunían en Teotihuacán
para conversar sobre las novedades
que guardaba el universo. Una ocasión,
después de hablar de galaxias lejanas
y cometas brillantes, comenzaron
a discutir sobre un problema
que habían notado: el planeta Tierra
vivía a oscuras. Fue entonces
cuando decidieron que era necesario
crear al Sol y a la Luna.

—No podemos permitir que la Tierra
permanezca en la penumbra,
necesitamos un astro que indique el día
y otro que represente a la noche.
De esa manera habrá
un equilibrio perfecto —comentó Tláloc,
dios de la lluvia—.

—Debemos buscar entre los dioses
a aquellos dignos de convertirse
en los astros más luminosos —agregó Huehuetéotl,
dios del fuego—.

—¿Pero quiénes podrán aspirar
a tal honor? —se preguntó Tezcatlipoca,
el dios jaguar—.

Entre todos los candidatos,
los dioses decidieron que el mejor prospecto
para convertirse en el astro más brillante
del universo era Tecuciztécatl,
un dios poderoso y algo engreído
por las riquezas que poseía.
Cuando la oferta de ser el Sol
llegó a sus oídos,
no pudo rechazarla.

Sin embargo, la elección del que sería la Luna no fue tan sencilla, por lo cual los dioses decidieron que quien tuviera interés en convertirse en dicho astro, debería presentarse ante ellos. Los días pasaron y la propuesta pareció ser ignorada, por lo que concluyeron que, entre todas las opciones, el más indicado era Nanahuatzin, un dios pobre, feo y enfermo que, además, pensaba muy distinto a Tecuciztécatl.

Convocaron entonces
a los dos dioses a una reunión
para ordenarles lo que debían hacer.

—Ahora que los hemos elegido para ser el Sol y la Luna, deberán superar una prueba que planeamos para ambos —dijo Quetzalcóatl, dios de la sabiduría—.

—Pasarán cuatro días en aquellos dos cerros que se ven desde aquí y en cada uno de ellos deberán recolectar la mayor cantidad de espinas posibles y traerlas ante nosotros. Los estaremos esperando —complementó Tezcatlipoca—.

Tecuciztécatl y Nanahuatzin partieron sin dirigirse la palabra el uno al otro.
Cuando se encontraron en los cerros asignados por los dioses,
comenzaron a recolectar las espinas que les habían encomendado.
Tecuciztécatl, preocupado siempre por la opulencia, buscó pesados ejemplares
de oro que le impidieron moverse con libertad por la colina. En cambio,
Nanahuatzin prefirió dirigirse hacia las espinas de maguey que,
por ser más ligeras, le permitieron recorrer el lugar de arriba a abajo.

Pasados los cuatro días,
Tecuciztécatl y Nanahuatzin
bajaron de los cerros
y se dirigieron a donde
se encontraban los dioses,
quienes prendieron una gran
hoguera con enormes llamas
que apenas permitían
que pudieran verse
unos a otros.

—No podrán conservar las espinas que han recolectado.
Para poder convertirse en el Sol y la Luna tendrán que renunciar a ellas
y arrojarlas a la hoguera. Tecuciztécatl,
tú serás el primero —afirmó
con voz grave Huehuetéotl—.

Tecuciztécatl supo en seguida que si depositaba las espinas de oro perdería un gran tesoro. El fuego crecía y el calor consumía parte de sus vestiduras. Atemorizado, dio tres pasos hacia atrás y apretó con fuerza el tesoro contra su pecho.

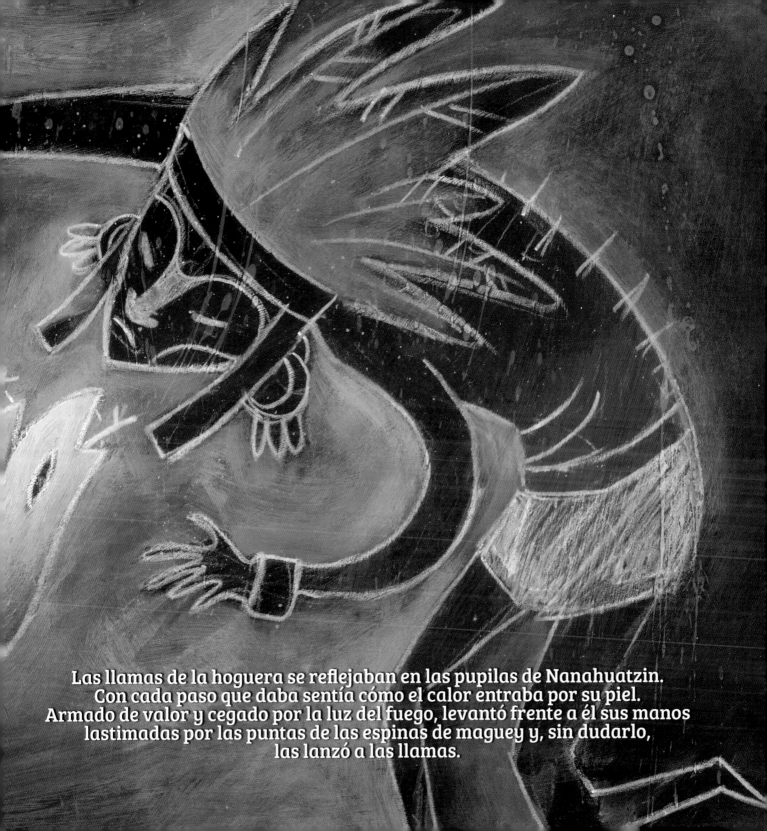

Las llamas de la hoguera se reflejaban en las pupilas de Nanahuatzin.
Con cada paso que daba sentía cómo el calor entraba por su piel.
Armado de valor y cegado por la luz del fuego, levantó frente a él sus manos
lastimadas por las puntas de las espinas de maguey y, sin dudarlo,
las lanzó a las llamas.

—Nanahuatzin, has sido valiente y humilde,
por lo tanto recibirás tu recompensa:
tú serás el Sol —dijo Quetzalcóatl—.

—Tecuciztécatl, dudaste de tu fortaleza en un momento decisivo. Serás la Luna. Para que no estés solo en la oscuridad del universo, te damos este conejo, que te servirá de guía y te acompañará por siempre —agregó Tezcatlipoca—.

Entonces salió del centro
de la hoguera una brillante luz
que los envolvió; se elevaron
al firmamento y quedaron
plasmados en lo alto del cielo.
Sin embargo, algo hacía falta.

—El Sol y la Luna, sin duda, son hermosos—
exclamó Tláloc—, pero no se mueven,
están estáticos. Si no tienen movimiento
no podrán definir el día y la noche
en la Tierra. ¡Tenemos que hacer algo
para lograr que sean de utilidad
para todas las especies y en los ciclos
de siembra y cosecha!

—¡Podemos solucionarlo! —comentó Huehuetéotl—.
Preguntemos al Sol y la Luna
qué tenemos que hacer. Ahora ellos son los dioses
más importantes del universo.

—¡Sol, Luna! ¿Qué hacemos para lograr
que ustedes puedan moverse y existan
el día y la noche? —dijeron todos
mientras alzaban los ojos al cielo—.

El Sol y la Luna se miraron por unos instantes y, sin decirse nada, supieron lo que se tenía que hacer.

—Hemos hecho un gran sacrificio para ocupar estos lugares; la tarea no ha sido fácil. Para que podamos movernos, es necesario que ustedes también suban al firmamento. Y eso involucra otra serie de sacrificios de su parte —dijo Nanahuatzin, ahora transformado en el dios del Sol—.

—Tienes razón.
Te escuchamos y seguiremos
las indicaciones que nos des —asintieron los dioses—.

—Su tarea consistirá en crear una ofrenda en nuestro honor.
Tendrán que desprenderse de todas sus joyas, plumas, piedras preciosas
y bienes materiales. Eso les dará la posibilidad de unirse a nosotros.
Pero no podrán traer con ustedes nada de lo que ahora poseen.
¿Están dispuestos a desprenderse de todo? —preguntó Tecuciztécatl,
ahora dios de la Luna—.

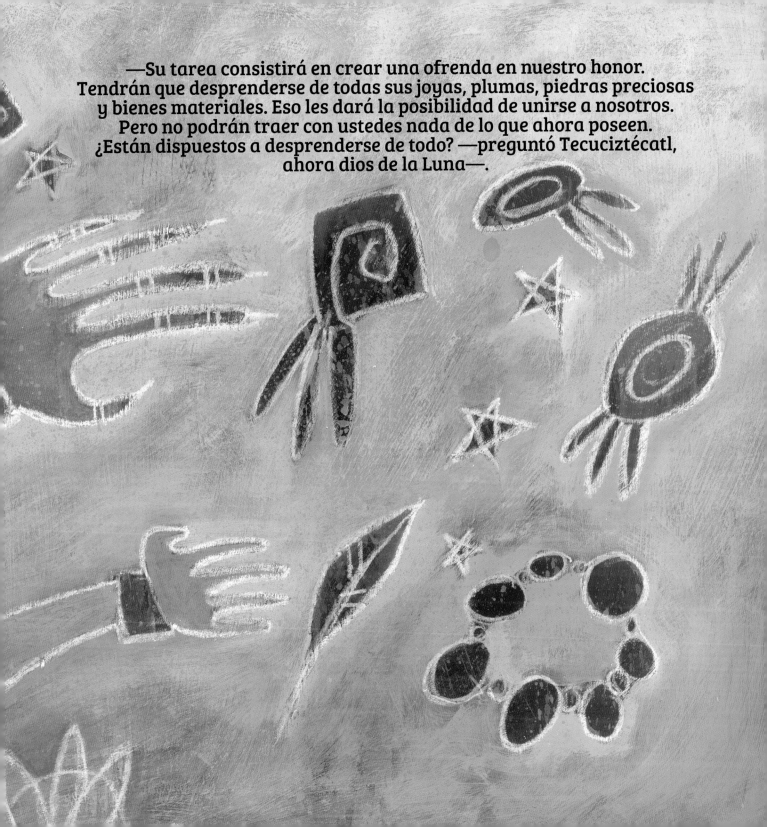

—¡Por supuesto! —gritó Tezcatlipoca—.

—¡Hagámoslo! —agregó Quetzalcóatl—.

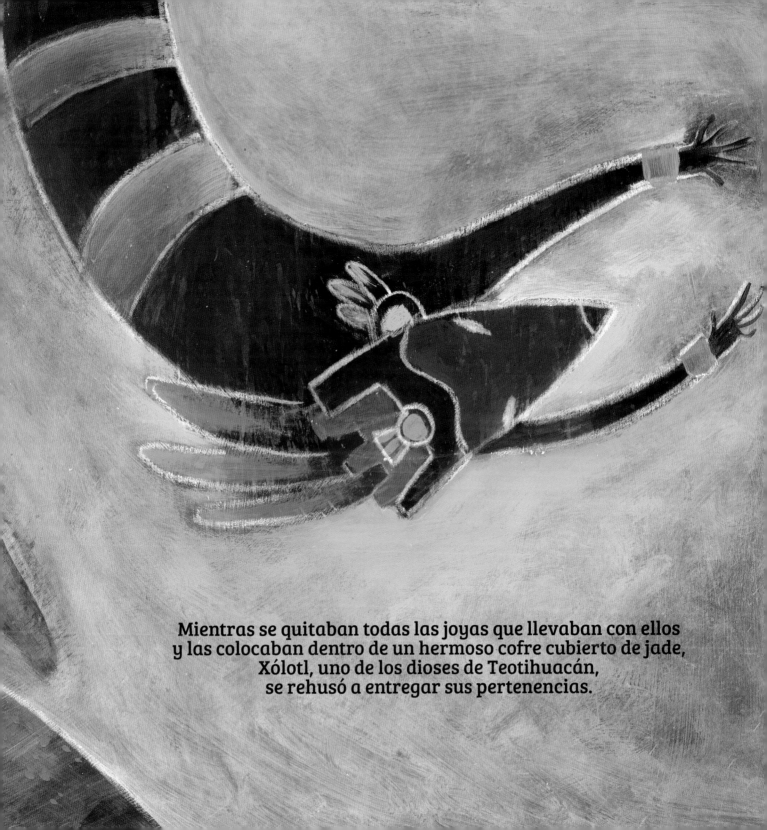

Mientras se quitaban todas las joyas que llevaban con ellos
y las colocaban dentro de un hermoso cofre cubierto de jade,
Xólotl, uno de los dioses de Teotihuacán,
se rehusó a entregar sus pertenencias.

—¡No quiero hacerlo! ¡Nunca haré lo que me piden! —exclamó Xólotl—.

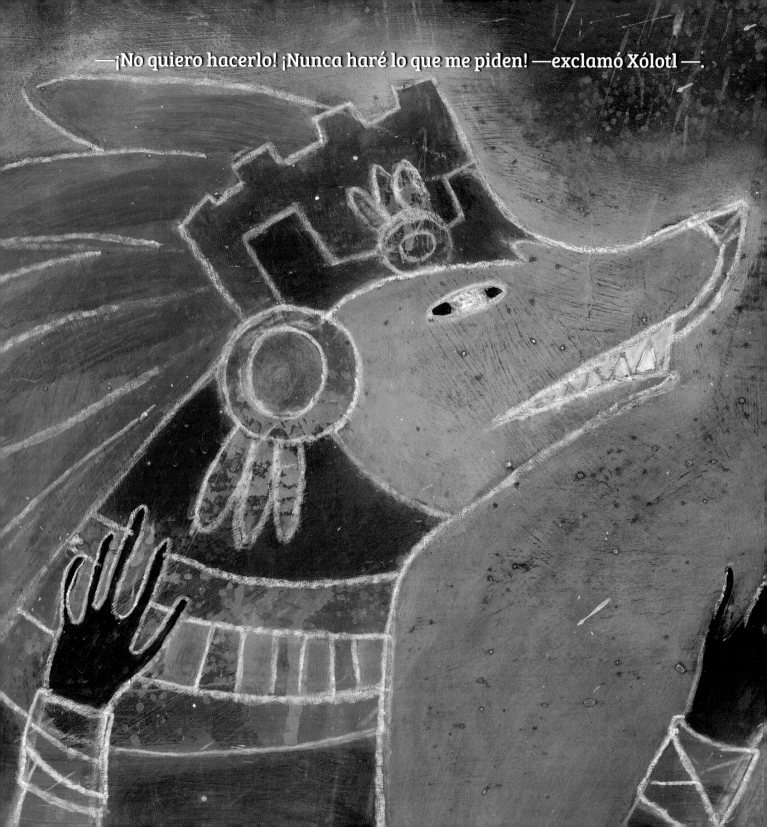

—Pero Xólotl, ¡tienes que hacerlo!
Es la única manera en la que lograremos que el Sol
y la Luna se muevan en el universo para crear
el día y la noche —insistió Tláloc —.

Y mientras pretendían convencerlo,
Xólotl se escabulló e intentó escapar
lo más rápido que le permitían
sus piernas.

—¡Se escapa! —gritó el dios del Sol
con una voz tan poderosa que hizo vibrar
a la Tierra—. ¡Quetzalcóatl, atrápalo!
¡Tú eres el más veloz de todos!

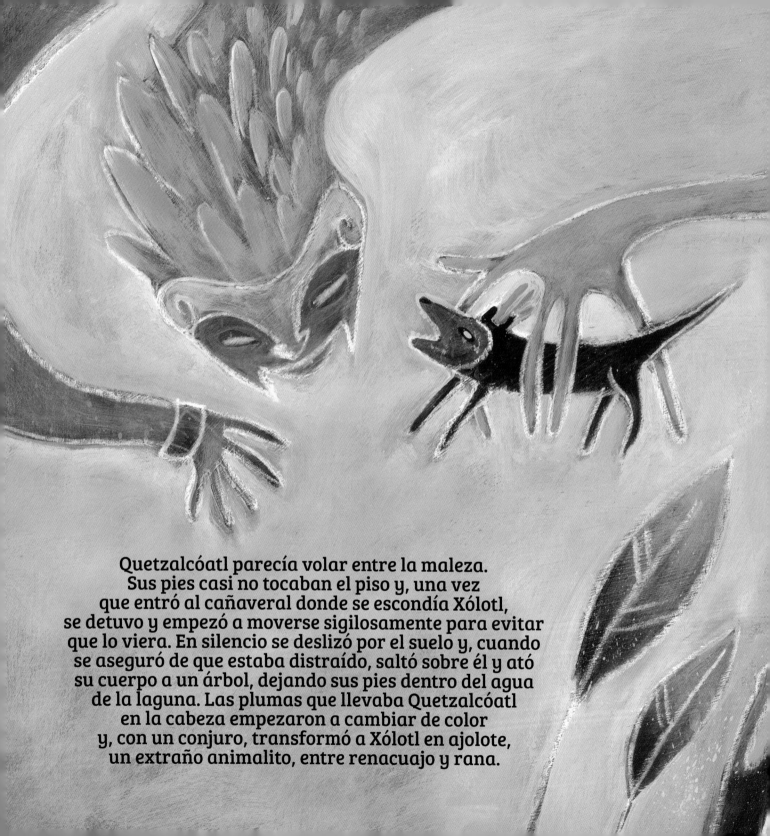

Quetzalcóatl parecía volar entre la maleza.
Sus pies casi no tocaban el piso y, una vez
que entró al cañaveral donde se escondía Xólotl,
se detuvo y empezó a moverse sigilosamente para evitar
que lo viera. En silencio se deslizó por el suelo y, cuando
se aseguró de que estaba distraído, saltó sobre él y ató
su cuerpo a un árbol, dejando sus pies dentro del agua
de la laguna. Las plumas que llevaba Quetzalcóatl
en la cabeza empezaron a cambiar de color
y, con un conjuro, transformó a Xólotl en ajolote,
un extraño animalito, entre renacuajo y rana.

—Para ti han sido más importantes tus riquezas que el bienestar de la Tierra. Por eso permanecerás por siempre con forma de ajolote y no podrás volver al lugar de los dioses —le explicó Quetzalcóatl a Xólotl, que ya se encontraba entre los lirios de la laguna con su nueva apariencia—.

Una vez que volvió con el resto de los dioses de Teotihuacán,
Quetzalcóatl se desprendió de sus joyas, plumajes
y piedras preciosas y las guardó en el cofre.

—Estoy listo. Ya he dejado todo ahí dentro —exclamó Quetzalcóatl mientras alcanzaba a los demás—, podemos subir juntos al cielo.

—Dioses de Teotihuacán: el sacrificio
que hacen ahora será premiado. Están listos para venir
a nuestro lado —dijeron con una misma voz Nanahuatzin y Tecuciztécatl—.

Los dioses se miraron unos a otros y poco a
poco comenzaron a transformarse
en brillantes bolas de luz que se elevaron
en medio de la oscuridad del universo.
Uno a uno fueron llegando y, cuando
estuvieron todos arriba, se colocaron
en lugares específicos para que, desde la
Tierra, se pudiera apreciar la belleza
del cielo iluminado.

Cuando estuvieron todos en sus posiciones,
un poderoso viento sopló entre ellos. Así, los dioses
convertidos en cuerpos brillantes, y Nanahuatzin
y Tecuciztécatl transformados en el Sol y la Luna,
comenzaron a girar por el firmamento,
dando origen al día, la noche y las estrellas
que se ven desde la Tierra.

Teotihuacán. El sacrificio de los dioses
Tomo 9 de la colección Axolotl
Primera edición: abril de 2015

D.R. © 2014 Andrea Candia Gajá
D.R. © 2014 Rosaura Muñoz Espinosa (John Marceline) por las ilustraciones
D.R. © 2015 CACCIANI, S.A. de C.V.
Prol. Calle 18 N° 254
Col. San Pedro de los Pinos
01180 México, D.F.

contacto@fundacionarmella.org
www.fundacionarmella.org

Dirección editorial: Nathalie Armella Spitalier
Asistente de redacción: Natalia Ramos Garay
Diseño editorial: Jovan Rabel Guzmán Gómez

ISBN: 978-607-8415-32-8

De la misma colección:

Xochiquetzal y Popoca
La leyenda de los volcanes

Juan Carlos Melgar y Aleida Ocegueda   FC>S

Pakal y la Reina Roja
La memoria de los reyes

César Gutiérrez y Natalia Gurovich   FC>S

AXOLOTL

Xaratanga
De plata en un blanco lago

Lola Hornet y Cristina López   FC>S

Coatlicue
Madre del Sol, la Luna y las estrellas

Juan Carlos Melgar y Sharon Barcs

FC>S

Hunahpú e Ixbalanqué
Los gemelos que crearon el tiempo

Varinia del Ángel y Mili

FC>S

Quetzalcóatl
Dios de dioses

César Gutiérrez y Ángel Campos

FC>S

Tenochtitlan
El camino hacia un Imperio

Nathalie Armella y Adriana Campos

FC>S

EL QUINTO RUMBO
DONDE VIVEN LOS DIOSES

Sergio Vicencio

FC>S

Tlacuache
Historia de una cola

Efrén Ordóñez y Catalina Carvajal

FC>S

Nezahualcoyotl
El coyote hambriento

Ave Barrera y Estelí Meza

FC>S